TREES & BUSHES
OF THE SACRED VALLEY

Árboles & arbustos del Valle Sagrado

Texts and photos / Textos y fotos
Gino Cassinelli Del Sante

General Editing / Edición general
Gino Oreste Cassinelli Del Sante
Photographs / Fotografías
Gino Oreste Cassinelli Del Sante
English Translation / Traducción al inglés
Stephen Light <www.languageisculture.com>
Design / Diseño
Germán Gonzáles, Gabriel Herrera
Quality Control / Control de calidad
Flavio Casalino
Cartography / Cartografía
Germán Gonzáles
Pre-press and Press / Preprensa e impresión
Lettera Gráfica S.A.C.

Hecho el Deposito Legal en la Biblioteca Nacional del Perú
N. 2007-01755
ISBN 978-9972-9172-3-3
Registro de derecho de autor (Indecopi)
Número de partida registral: 00136-2007

oreste@terra.com.pe
http://barrioperu.terra.com.pe/oreste

Impreso en Lima, Perú. Febrero de 2006
Printed in Lima, Peru. February 2006

Acknowledgements
Agradecimientos

I wish to thank the following individuals for their kind help during the writing of this book / Colaboraron desinteresadamente con la ejecución de esta obra las siguientes personas:

José Luís Venero, Carlos Reynel, Aniceto Daza, Graciela Vilcapoma, Ursula De Bary, Teresa Orihuela de De Bary, Uriel Vara, Alfredo Tupayachi, César Vargas Calderón, Yolanda Vargas de Escobar, Carmen Vargas, Constantino Quispe, Otilia Navarrete.

Pisomay

Quishuar

Introduction
Introducción

This book features the most important trees and bushes of the mountains and valleys around Cusco, between 8,200 and 11,480 feet above sea level. Throughout Peru this altitudinal range is known as the **Quechua** region and it was the birthplace of the Inca Empire and earlier Pre-Columbian cultures. The most important Andean cities are situated at this altitude and the main economic and cultural activities of the inhabitants of the Andes take place within this zone. All the trees and bushes described in this book can be found around the city of Cusco, in the Urubamba Valley and along the first stretch of the Inca Trail to Machu Picchu (the Cusichaca ravine, from Km 88 of the railroad to the pass known as Warmiwañusca).

The reference measurements in the samples are in centimeters.

Este libro trata de los árboles y arbustos más importantes de la sierra cusqueña. Abarca la región comprendida entre los 2500 y 3500 metros sobre el nivel del mar (msnm). A lo largo de todo el Perú a esta región se le denomina **Quechua** y en ella floreció el imperio de los incas además de otras culturas precolombinas. Las principales actividades económicas y culturales del hombre andino actual se desarrollan dentro de este rango de altitud y en él se ubican las principales ciudades serranas. Los árboles y arbustos descritos en este libro los encontrará el lector en los alrededores de la ciudad del Cusco, el valle del Urubamba y en el primer tramo del Camino Inca que conduce a Machu Picchu (quebrada Cusichaca: desde el Km. 88 del ferrocarril hasta el abra denominada Warmiwañusca).

La medida en las muestras botánicas está en cms.

Peruvian Geography
Geografía del Perú

Due to the combined factors of its location just south of the equator, the distribution of the Andes Mountains and the predominantly cold ocean current off its coast, Peru has one of the most varied climates and landscapes in the world.

Peru is normally divided into three extensive geographical regions: The **Costa** (coast) is desert, a flat or undulating territory between the Pacific Ocean and the Andes. The **Sierra** (highlands) is the mountainous territory corresponding to the Andean range. The **Selva** (tropical forest) is the flat, wooded and rainy region on the eastern side of the Andes range.

However, ancient Peruvians divided this territory into eight natural regions. Each one of these regions covers the territory from north to south and alternately from the west to east, running along the Andean range. These regions are: **Chala**: covering the territory between the sea and 1,640 feet on the western slopes of

La localización del territorio peruano justo al sur de la línea ecuatorial, la configuración de la cordillera de los Andes, y la fría corriente marina frente a sus costas, hacen del Perú uno de los países con más variaciones climáticas y paisajísticas del mundo.

La clásica división geográfica del Perú comprende sus tres grandes regiones: **Costa** es todo el territorio desértico, plano u ondulado, colindante con el océano. **Sierra** es todo el territorio montañoso correspondiente a la Cordillera de los Andes. **Selva** es la región plana, boscosa y lluviosa que se extiende al este de los Andes.

Sin embargo, el antiguo hombre peruano identificó ocho regiones naturales. Cada una de ellas se extiende de Norte a Sur, intercalándose de Oeste a Este y coincidiendo paralelamente con la cordillera. Estas regiones son: **Chala**: comprendida entre el mar y los 500 msnm, en la vertiente occidental de los

Unca forest

the Andes. Here the climate is temperate (due to the moderating influence of the ocean), with occasional light rains and desert landscapes with valleys irrigated by rivers that descend from the Andes. The cities of Piura, Chiclayo, Trujillo, Lima, Ica and Tacna are all located within this region. **Yunga**: the *Coastal Yunga* rises from 1,640 to 7,540 feet on the western slopes of the Andes. It is a rugged, desert landscape and receives occasional light rains. The *Fluvial Yunga* is found between 7,540 and 3,280 feet on the eastern face of the Andes, and its climate is cooler and wetter and the vegetation is denser than that of the *Coastal Yunga*. **Quechua**: this region rises from 7,540 to 11,480 feet. It is characterized by a temperate, dry climate, with an average temperature that ranges from 52 to 60 ºF, with a considerable diurnal range. It receives

Andes. Es de clima templado (por la influencia moderadora del Pacífico), precipitación casi nula y paisaje desértico pero con fértiles valles irrigados por los ríos que bajan de la cordillera. Las ciudades de Piura, Chiclayo, Trujillo, Lima, Ica y Tacna están dentro de esta región. **Yunga**: la *yunga marítima* se eleva de los 500 a los 2300 msnm al oeste de los Andes. Su relieve es accidentado, su paisaje desértico y la lluvia escasa. La *yunga fluvial* se ubica entre los 1000 y 2300 msnm al este de los Andes. Es menos calurosa, más lluviosa y más poblada de vegetación que la *yunga marítima*. **Quechua**: de los 2300 a 3500 msnm. Su clima es templado, seco, con una temperatura media de 11 a 16 ºC, variando sensiblemente entre el día y la noche, lluvias de diciembre a marzo y sequías el resto del año. Es la región más

annual rains from December to March and drought the rest of the year. It is the most populated region of the **Sierra** and the ancestral home of Andean culture. The inter-Andean valleys and the most important cities of the Andes are found in this region (Cajamarca, Huaraz, Huancayo, Cusco, Arequipa, Ayacucho). The *Sierra*, together with part of the *Costa* and the *Selva*, consumes food from this region. The trees described in this book are typical of this region. **Suni** or **Jalca**: this region rises from 11,480 to 13,120 feet. Its climate is cold and the topography is undulating. This is the highest altitude at which agriculture can be practiced. **Puna**: this area rises from 13,120 to 15,740 feet. The climate is cold and the terrain rugged and undulating. The air is thin. Llamas, alpacas and vicuñas graze on the coarse grass known as ichu which grows in this region. **Janca** or **Nival**: this region extends from 15,740 feet to the highest mountain peaks of

poblada de la sierra y el eje de la cultura andina, donde se encuentran los valles interandinos y las principales ciudades serranas (Cajamarca, Huaraz, Huancayo, Cusco, Arequipa, Ayacucho). Es la despensa de la sierra y de parte de la costa y de la selva. Los árboles descritos en este libro son típicos de esta región. **Suni** o **Jalca**: De los 3500 a 4000 msnm, de clima frío y relieve ondulante, es el límite superior de la actividad agrícola. **Puna**: de los 4000 a 4800 msnm, de clima frío y relieve escarpado u ondulado. Escasea el oxígeno. Crece el ichu y pastan las llamas, alpacas y vicuñas. **Janca** o **Nival**: de los 4800 msnm al pico más alto. Es la zona de los glaciares y los deshielos alimentan los ríos que riegan los valles de la costa, sierra y selva del país. **Selva Alta**: De los 1000 a 400 msnm al este de los Andes. De relieve accidentado, clima cálido y húmedo, y lluvioso de diciembre a marzo. Abunda la vegetación. Es la región donde comienza

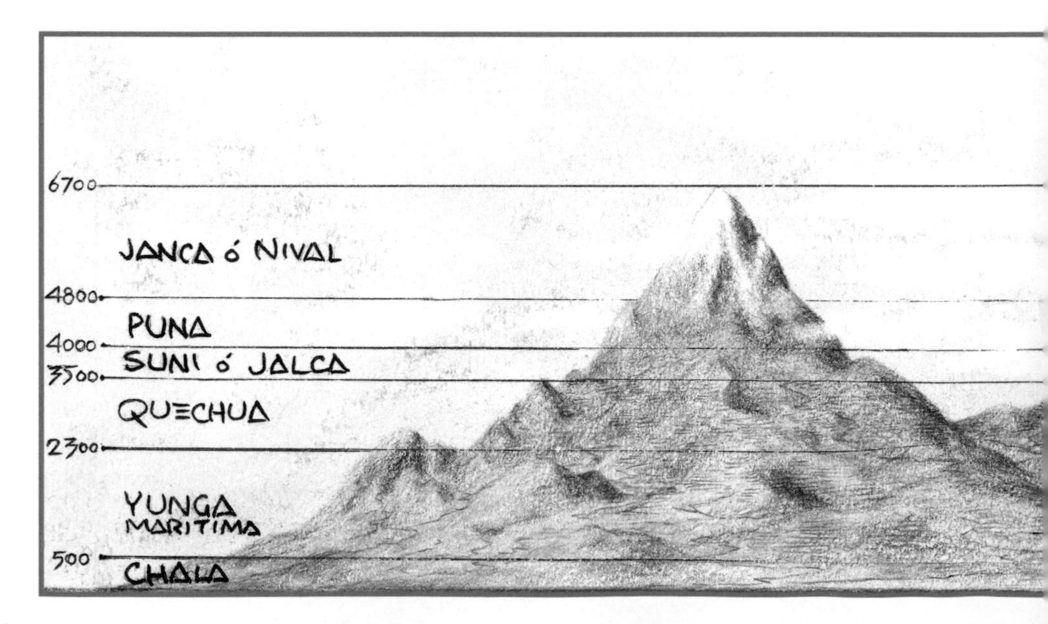

the Andes. It is glacial and thawing in this zone gives rise to the rivers which irrigate the valleys of the *Costa, Sierra* and *Selva*. **High Jungle**: this region lies between 3,280 and 1,310 feet on the eastern side of the Andes. Its topography is rugged and the climate is hot and humid. The rainy season is from December to March. This zone is rich in vegetation. The Amazon jungle begins in this region. **Low Jungle**: this covers the area between 1,310 and 260 feet to the east of the Andes. The climate is hot, humid and rainy (with up to 5,000 mm of precipitation falling annually). This zone is rich in vegetation and is the best example of tropical rainforest.

However we categorize its natural regions, what is certain is that Peru possesses such varied landscapes and cultures because of the great variations in altitude throughout the Andean range.

la selva amazónica. **Selva Baja**: Entre los 400 y 80 msnm, al lado oriental de los Andes. De clima cálido, húmedo y lluvioso (hasta 5000 mm anuales). La vegetación es abundante. Es la máxima expresión del bosque tropical lluvioso.

Por donde se le mire, la cordillera de los Andes es el principal condicionante de la variabilidad de paisajes y de formas de vida en el Perú.

Some information about Cusco

Algunos datos acerca de Cusco

The city of Cusco is situated at latitude 13° 30' south. It is located in the valley of the Huatanay River at an altitude of around 11,150 feet and is surrounded by hills. The average annual temperature is 51.4 °F. The seasonal rains (760 mm) begin in November and end in April and the dry season lasts from May to October.

The Urubamba Valley, also known as the Sacred Valley of the Incas or the Vilcanota Valley, lies at an average altitude of 9,180 feet. Its average annual temperature is 57.7 °F, with 624 mm of rainfall. The

La ciudad del Cusco se sitúa a 13o 30' de Latitud sur. Se halla enclavada en el valle del río Huatanay y rodeada por varios cerros. Su altitud ronda los 3400 msnm. La temperatura media anual es de 10.8 °C. Las lluvias se presentan de noviembre a abril (760 mm) y la sequía de mayo a octubre.

El valle del Urubamba, también conocido como el Valle Sagrado de los Incas o valle del Vilcanota, se ubica a una altitud promedio de 2800 msnm. Su temperatura media anual es de 14.3 °C y el régimen de lluvias de 624 mm. El río

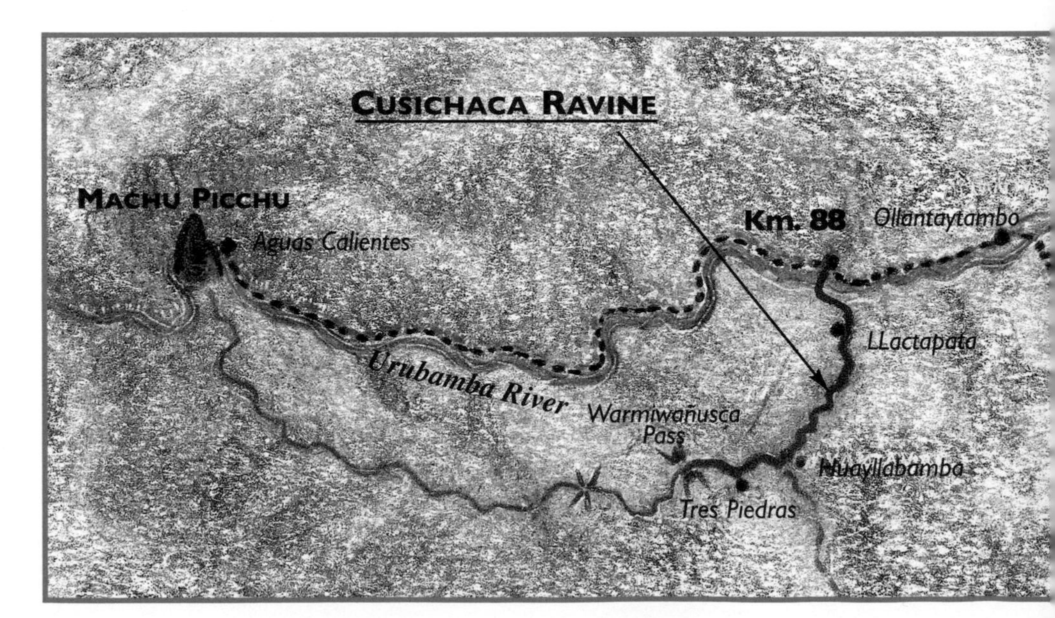

Urubamba River is bordered by many narrow valleys that descend from the snowline, and the rich vegetation in these ravines is a traveler's delight.

The Cusichaca ravine is the first to be climbed on the Inca Trail to Machu Picchu. It starts at the ruins of Llactapata at around 8,200 feet and ends at the Warmiwañusca Pass at 13,770 feet. The traveler will notice how the vegetation varies with changes in altitude.

Urubamba está rodeado de numerosas quebradas que van hasta los nevados. En estas quebradas hay abundante vegetación para el deleite del caminante.

La quebrada Cusichaca es la primera que hay que escalar al avanzar por el Camino Inca que conduce a Machu Picchu. Comienza en las ruinas de Llactapata alrededor de los 2500 msnm y termina en el abra Warmiwañusca a los 4200 msnm. El caminante podrá observar como varía la vegetación conforme varía la altitud.

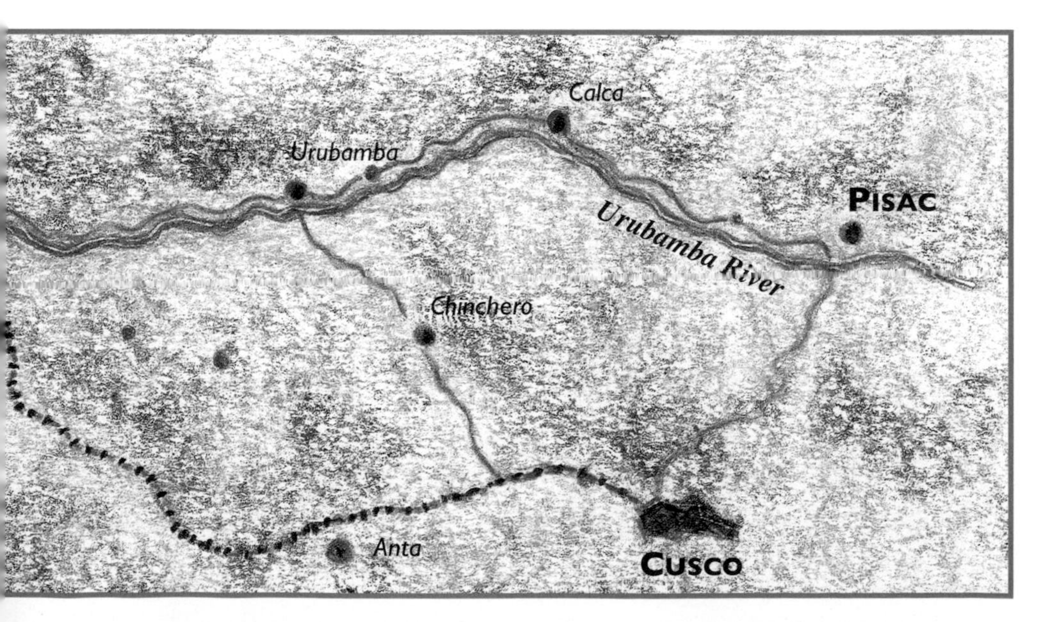

Aliso *(Alnus acuminata)*

A tree 33 to 66 feet high, it grows at the edge of rivers and streams, between 8,200 and 12,460 feet. The Incas and the Spanish conquistadores used its long trunk as beams and lintels in their buildings. Doors, windows and fruit crates are made with its yellowish-white wood, and forage for livestock, fertilizers and dyes can be obtained from the leaves.

Árbol que mide de 10 a 20 m. Crece al borde de ríos y arroyos, entre los 2500 y 3800 msnm. Tanto los incas como los conquistadores españoles usaron sus largos troncos como vigas y dinteles en la construcción. Con su madera blanca amarillenta se fabrican puertas, ventanas y cajones para fruta. Las hojas proporcionan tintes, forraje para el ganado y abono para los cultivos.

CAMASTO *(Nicotiana tomentosa)*

A tree or bush with a herbaceous stem that grows from 16 to 20 feet high. Its flowers can be pink, white or yellow and it is because of these bright and colorful flowers that it is cultivated around houses and family farms. It grows between 8,520 and 10,500 feet and is a member of the tobacco family (Nicotiana tabacum). Its leaves are used as an acaricide.

Árbol o arbusto de tallo herbáceo, mide de 5 a 6 m. Sus flores pueden ser rosadas, blancas o amarillas. Se cultiva alrededor de las casas y huertos familiares por sus vistosas flores. Crece entre los 2600 y 3200 msnm. Es una planta emparentada con el tabaco (Nicotiana tabacum). Sus hojas se emplean como acaricida.

CANTU *(Cantua buxifolia)*

A bush up to 13 feet high, it is Peru's national flower. It grows between 7,540 and 12,460 feet and is not commonly found in the countryside, although it can be appreciated as an ornamental plant in city squares and gardens. In Inca times, the flower was dedicated to the sun god Inti and the Incas represented it on their pottery, textiles and ceremonial vases. It is still used today in funeral rites, to decorate altars and during processions, as well as an offering to Mother Earth. The leaves are used as a yellow dye and the branches are employed in basket weaving.

Arbusto de hasta 4 m de alto. Su flor es la flor nacional del Perú. Crece entre los 2300 y 3800 msnm. Difícilmente se ve en el campo pero sí como adorno en plazas y jardines de las ciudades. En la época incaica esta flor fue consagrada al dios sol y los incas la retrataron en sus cerámicas, tejidos y vasos ceremoniales. Hoy sigue siendo usada en ritos funerarios, para adornar altares, durante procesiones y como ofrenda a la madre tierra. Las hojas se usan para teñir de amarillo. Con las ramas se fabrican canastas.

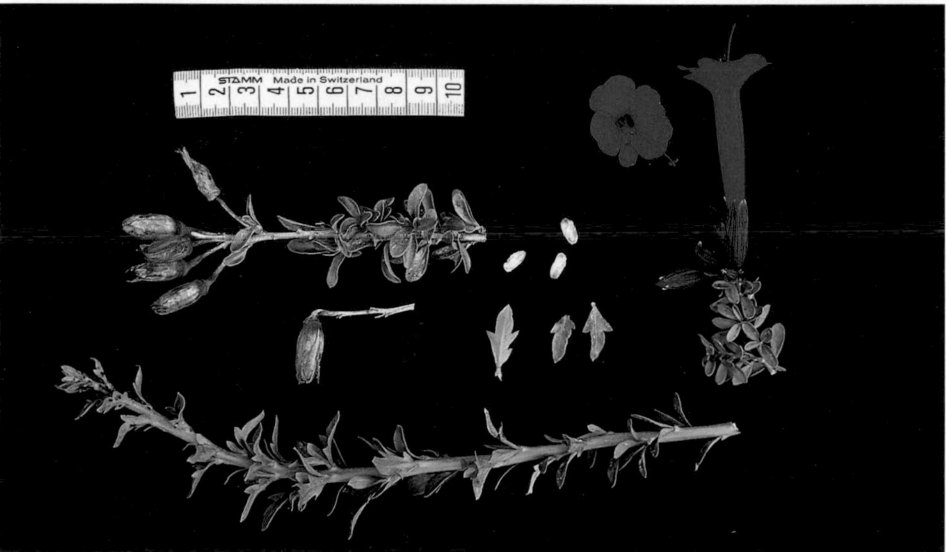
STAMM Made in Switzerland
1 2 3 4 5 6 7 8 9 10

CAPULI *(Prunus serotina)*

A Central American tree between 20 and 26 feet high, it is cultivated in the entire Andean region from 7,540 to 11,480 feet. It bears fruit from January to March. Its fruit (red to black) are edible and delicious. The berries are used in the preparation of jam, as dried fruit and in wine and liqueur. The leaves contain "amygdalin" and they have sedative and cardioregulatory properties when boiled. Its wood is water resistant. Birds eat the fruit and disperse the seeds.

Árbol centroamericano de 6 a 8 m de alto. Se cultiva en todos los Andes entre los 2300 y 3500 msnm. Fructifica de enero a marzo. Sus frutos (rojos a negros) son comestibles y de sabor muy agradable. Con ellos se preparan mermeladas, pasas, vino y licor. Las hojas contienen "amigdalina": en cocimiento sirven como sedante y cardioregulador. La madera es incorruptible en el agua. Las aves comen el fruto y diseminan las semillas.

CEDRO DE ALTURA *(Cedrela lilloi)*

Meliaceae

A tree that grows up to 65 feet high, it is found from Peru to Argentina between 8,500 and 11,150 feet. The wood of the *Cedrela* genus is excellent for cabinet making and it is exported to other countries. Long ago, the land around Cusco was forested with cedar, but the Spanish conquistadores felled the trees to build the altars, pulpits and altarpieces of their churches, as well as the doors, windows and furniture of their homes. Today, this species is rare, although the lowland forest cedar (*Cedrela odorata*), which is taller and broader, is still exploited.

Árbol de hasta 20 m de alto. Crece desde Perú hasta Argentina entre los 2600 y 3400 msnm. La madera del género *Cedrela* es excelente para la ebanistería y se exporta a otros países. Alguna vez los alrededores del Cusco estuvieron poblados de cedros. Los conquistadores españoles talaron estos bosques para construir los púlpitos, altares y retablos de las iglesias así como puertas, ventanas y muebles para sus casas. Hoy el cedro de altura es escaso, pero se sigue explotando el cedro de la selva baja (*Cedrela odorata*), más alto y voluminoso.

CHACHACOMO *(Escallonia resinosa)*

A rustic tree from 6.5 to 20 feet high or more: It grows throughout the mountainous regions of Peru between 8,850 and 13,120 feet. It grows on mountainsides, is tolerant of drought and is ideal for mountainside erosion control and stabilizing agricultural terraces. Its wood is of excellent quality. A larva which lives in this tree is used as food by the people of some regions.

Árbol rústico que mide 2 a 6 m o más. Presente en toda la sierra peruana entre los 2700 y 4000 msnm. Crece en las laderas. Tolera las sequías. Es ideal para controlar la erosión en las laderas y es un buen estabilizador de terrazas (andenes). Su madera es de excelente calidad. Una larva que convive con el chachacomo sirve de alimento a los pobladores de ciertas regiones.

STAMM Made in Switzerland
1 2 3 4 5 6 7 8 9 10

CHALANQUE *(Myrsine latifolia)*

A tree not commonly found, it is pyramidal in shape and grows to between 26 and 39 feet high. It can be found in the Cusichaca ravine (on the Inca Trail) between 9,180 and 11,800 feet. Its trunk is large and straight and is used for house and fence building. Its wood is used to made Andean agricultural tools and utensils.

Árbol poco común, de porte piramidal, de 8 a 12 m de altura. Se encuentra en la quebrada Cusichaca (Camino Inca) entre los 2800 y 3600 msnm. Sus troncos, largos y rectos, se usan en la construcción de casas y corrales y con su madera se elaboran herramientas agrícolas y utilería andina.

STAMM Made in Switzerland
1 2 3 4 5 6 7 8 9 10

CHAMANA *(Dodonaea viscosa)*

A bush from 3.3 to 6.5 feet in height, it has abundant foliage and can be found in the Andean region between 3,280 and 10,500 feet. It is common in the Cusichaca ravine (on the Inca Trail) at around 8,850 feet. It is a perfect plant for soil stabilization on mountainsides. It burns even when it is freshly cut because its leaves and branches contain an oily resin.

Arbusto de 1 a 2 m, de abundante follaje. Crece en todos los Andes entre los 1000 y 3200 msnm. Abunda en la quebrada Cusichaca (Camino Inca) a los 2700 msnm. Es una planta ideal para la contención de suelos en laderas. Arde aun estando fresco porque sus hojas y ramas contienen una sustancia resinosa.

CHECCHE *(Berberis spp)*

A bush that grows from 3.3 to 5 feet, it has dentate leaves which are as sharp as thorns. This characteristic has led to its use as protective hedgerow. Its roots and fruit produce a yellow and greenish-blue dye. A substance that reduces kidney inflammation can be extracted from the stem, and from the bark febrifuge tonic can be obtained, while the roots are used as a laxative. Young women paint their nails with its fruit.

Arbusto de 1 a 1.5 m. Sus hojas presentan dientes aguzados como espinas. Por ello las ramas se usan para conformar cercos de protección. Su raíz y sus frutos producen un tinte amarillo y azul-verdoso. Del tallo se extrae un desinflamante de riñones, de la corteza un tónico febrífugo y de la raíz un laxante. Las adolescentes se pintan las uñas con sus frutos.

STAMM Made in Switzerland
1 2 3 4 5 6 7 8 9 10

CHIJLLUR *(Vallea stipularis)*

A bush or tree from 6.5 to 13 feet tall, it grows from 7,850 to 11,150 feet. It is good for riverbank stabilization as it readily adapts to stony ground and flooding. The leaves are used to produce a yellow dye. Its wood is light and useful for making lightweight utensils. Its flowers make it an ornamental plant. As a medicinal plant it is considered useful for the treatment of dysentery, rheumatism and eye infections.

Arbusto o árbol de 2 a 4 m de alto. Crece entre los 2400 y 3400 msnm. Es apropiada para la estabilización de riberas, pues se adapta a pedregales e inundación. Las hojas sirven para teñir de amarillo. La madera es liviana y apropiada para fabricar utensilios ligeros. Ornamental por sus flores. Como medicinal, se le considera para curar disenterías, reumatismo y enfermedades del ojo.

Eleocarpaceae

CHILCA *(Bacharis spp)*

A bush from 3.3 to 5 feet in height, it grows in the Andes from Venezuela to Bolivia, between 8,200 and 11,150 feet and is found in abundance at the edge of the rivers and roadsides of the Urubamba Valley. A yellow or green dye for wool can be prepared with its leaves and flowers. The ball of ash and calcium known by its Quechua name *llipta*, which people chew with the coca leaf, is prepared from its ashes.

Arbusto de 1 a 1.5 m. Crece en todos los Andes desde Venezuela hasta Bolivia, entre los 2500 y 3400 msnm. Abunda en el valle del Urubamba al borde de los caminos y los ríos. Con sus hojas y flores se prepara tinte amarillo o verde para la lana. Con la ceniza se prepara la *llipta*, bola de ceniza y calcio para mascar con la coca.

STANAM Made in Switzerland
1 2 3 4 5 6 7 8 9 10

CHINCHIRCUMA *(Mutisia acuminata)*

A bush 3.3 to 5 feet high, it grows between 6,560 and 13,120 feet in Peru, Bolivia and Argentina and is often seen along the side of roads. It is used as forage for livestock and is planted to form hedgerows and to stabilize agricultural terracing. As a medicinal plant it is used in the treatment of respiratory ailments. Its flowers appear as illustrations on Inca pottery and ceremonial vases.

Arbusto de 1 a 1.5 m de alto. Crece entre los 2000 y 4000 msnm en Perú, Bolivia y Argentina. Suele verse al borde de los caminos. Es útil como forraje para el ganado. Se planta como barrera viva y para estabilizar terrazas. Como medicinal, se le considera en el tratamiento de afecciones respiratorias. Sus flores aparecen dibujadas en cerámicas y vasos ceremoniales de los incas.

STAMM Made in Switzerland
1 2 3 4 5 6 7 8 9 10

CIPRES *(Cupresus macrocarpa)*

A Californian tree that grows from 40 up to 100 feet, it can be cultivated to altitudes of 11,800 feet. It is grown as an ornamental tree in parks and avenues. Creative forms can be produced from the pruning of this plant (topiary). It is used as a hedge and windbreak to protect crops. Its wood is much appreciated by carpenters. It can be found along roadsides in the Urubamba Valley.

Árbol nativo de California de 12 a 30 m de alto. Se cultiva hasta los 3600 msnm. Es común encontrarlo podado, formando figuras artísticas en parques y avenidas. Crea un magnífico cerco vivo y barrera contra el viento para proteger los cultivos. La madera es muy apreciada por los carpinteros. Se encuentra al borde de la carretera en el valle del Urubamba.

COLLE *(Buddleja coriacea)*

A bush or tree from 6.5 to 33 feet high, it is a native of southern Peru and Bolivia and was introduced into Cusco in Pre-Columbian times. It grows between 11,150 and 14,750 feet and it endures very cold temperatures. It is an ideal tree for highland reforestation, where it provides firewood and lumber used for building and making tools. The Incas planted *colles, quishuares* and *queuñales* in the higher parts of the Andean region.

Arbusto o árbol de 2 a 10 m. Nativo del sur del Perú y de Bolivia, se trajo al Cusco desde tiempos precolombinos. Crece entre los 3400 y 4500 msnm. Soporta mucho frío. Es un árbol ideal para reforestar en las alturas donde provee de leña y madera para construcción y para fabricar herramientas. Los incas plantaron *colles, quishuares* y *queuñales* en las zonas altas de los Andes.

1
2
3
4
5
6
7
8
9
10

EUCALIPTO *(Eucaliptus globulus)*

An Australian tree that grows up to 100 feet high, at altitudes ranging from 4,900 to 12,460 feet, it is the most industrialized, commercialized and useful tree for the people of the Andes. Its wood is used in building, in the mining industry, to make furniture, posts, railroad ties, etc. Its leaves are used in the treatment of colds and provide the "eucalypthol" (menthol) that is used in the pharmaceutical and food industries.

Myrtaceae

Árbol australiano de hasta 30 m de altura. Crece en todos los Andes entre los 1500 y 3800 msnm. Es el árbol más industrializado, comercializado y útil para el hombre andino. Su madera se usa en construcción, minería, muebles, postes, durmientes de ferrocarril, etc. Las hojas curan el resfrío y proveen el "eucaliptol" (mentol) usado en la industria farmacéutica y alimenticia.

HANCA HANCA *(Solanum ochrophyllum + S. naturecalvans)*

A tree or bush that grows up to 16 feet at altitudes ranging from 9,180 to 11,180 feet: Although it is not abundant, it grows in all the Urubamba Valley's ravines. An infusion of its leaves is used to clean wounds on livestock. The leaves are also rubbed on wounds. It is a hybrid of the *ochrophyllum* and *naturecalvans* species and can be used as a beautiful ornamental plant.

Arbusto o árbol de hasta 5 m. Crece entre los 2800 y 3600 msnm. Existe en todas las quebradas del valle del Urubamba pero no es abundante. La infusión de las hojas sirve para bañar las heridas de los animales. También se acostumbra frotar las hojas sobre las heridas. Podría ser una bella planta ornamental. Esta planta es un híbrido de las especies *ochrophyllum* y *naturecalvans*.

1
2
3
4
5
6
7
8
9
10

HUAMANQUERO *(Styloceras laurifolium)*

Buxaceae

A tree that grows up to 50 feet high, it is quite rare and appears together with *unca* (*Myrcianthes oreophylla*) in the Cusichaca ravine (on the Inca Trail) between the localities of Tres Piedras and Lluclluchа Pampa (10,800 to 11,800 feet). Since its wood is good for building and cabinet making it was used in olden days to make doors and windows.

Árbol de hasta de 15 m. Muy escaso, aparece junto a árboles de *unca* (*Myrcianthes oreophylla*) en la quebrada Cusichaca (Camino Inca) entre las localidades llamadas Tres Piedras y Llullucha Pampa (3300 a 3600 msnm). Con su madera, buena para ebanistería y construcción, se construyeron muchas puertas y ventanas en la antigüedad.

HUARANHUAY *(Tecoma sambucifolia)*

A bush or small tree that grows from 3.3 to 10 feet, between 7,200 and 11,150 feet, it can be found at roadsides and on small farms. Its wood is used to make agricultural tools, ploughs, furniture, ladles, walking sticks and toys. It is used as an ornamental plant for its flowers and is said to relieve toothache.

Arbusto o arbolito de 1 a 3 m. Crece entre los 2200 y 3400 msnm. Se encuentra al borde de los caminos y de las chacras. Con su madera se fabrica herramientas agrícolas, arados, muebles, cucharones, bastones y juguetes. Apreciado como ornamental por sus bellas flores. Se dice que alivia el dolor de muelas.

STAMM Made in Switzerland
1 2 3 4 5 6 7 8 9 10

HUARUMA *(Delostoma integrifolium)*

A tree that grows from 10 to 13 feet and only in the vicinity of Km 88 of the railroad to Machu Picchu and in the Cusichaca ravine (on the Inca Trail) between 8,530 and 9,500 feet. It is not a well-known plant, but has the potential to become a popular ornamental plant for its flowers. It is useful for slope protection and its wood is used to make tool handles.

Árbol de 3 ó 4 m. Sólo aparece alrededor del Km 88 del ferrocarril y en la quebrada Cusichaca (Camino Inca) entre 2600 a 2900 msnm. Planta poco conocida y promisoria como ornamental por sus flores. Propicia para la protección de laderas. La madera se usa para mangos de herramientas.

HUAYRURO CUSQUEÑO *(Citharexyllum herrerae)*

A bush or tree that grows from 10 to 16 feet, between 8,850 and 11,150 feet, It is used as an ornamental plant for its green branches and bright and colorful fruit. Local people use the fruit and branches to decorate their Christmas nativity scenes and its wood is used in building and for making all kinds of tools. This bush should not be confused with the forest *huayruro* (*Ormosia* Sp.), which is a tree with red seeds which are used to make necklaces.

Arbusto o árbol de 3 a 5 m. Crece entre los 2700 y 3400 msnm. Apreciado como ornamental por sus ramas verdes y la vistosidad de sus frutos. Es costumbre adornar los "nacimientos" de Navidad con los frutos y ramas del huayruro. Su madera se aprovecha en la construcción y en la confección de utensilios en general. Este arbusto no debe confundirse con el *huayruro* de la selva (*Ormosia* Sp.), árbol de cuyas semillas se fabrican collares.

1
2
3
4
5
6
7
8
9
10
STAMM Made in Switzerland

LLAMA LLAMA *(Oreocallis grandiflora)*

A bush or tree that grows from 6.5 to 20 feet high: It can be found from 6,560 to 12,460 feet. Some examples can be seen in the Cusichaca ravine (on the Inca Trail). Baskets are made from its small, flexible branches. Traditionally, its leaves are chewed to prevent tooth decay. In some parts of Peru its fruit is used by children as a toy which they call "*salta perico*". Hummingbirds feed on its flowers.

Arbusto o árbol de 2 a 6 m. Crece en todo el Perú entre los 2000 y 3800 msnm. Se ven algunos ejemplares en la quebrada Cusichaca (Camino Inca). Con sus ramitas, muy flexibles, se fabrican canastas. Sus hojas se mastican para evitar la caries. En algunas regiones del Perú los niños usan el fruto como un juguete llamado "salta perico". Los colibríes chupan sus flores.

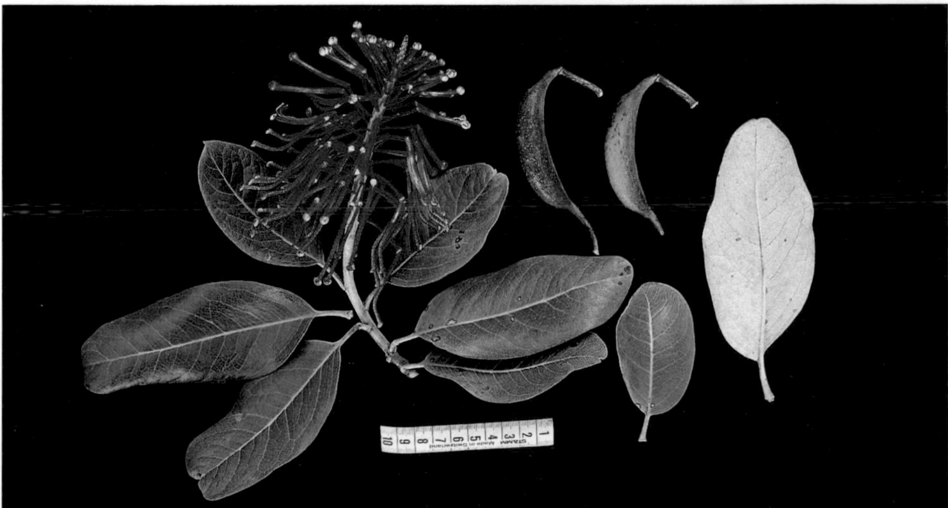

LLAULLI *(Barnadesia horrida)*

A thorny bush that grows from 6.5 to 10 feet in all the ravines adjacent to the Urubamba Valley between 9,500 and 12,450 feet: Local peasants use it as a hedge. The flowers are used in the treatment of respiratory ailments and bronchitis. The Incas used to burn *llaulli* and throw different species of birds into the flames in a ritual to diminish the strength of their enemies.

Arbusto espinoso de 2 a 3 m. Crece en todas las quebradas colindantes al valle del Urubamba entre los 2900 y 3800 msnm. Los campesinos lo usan como cerco vivo. Las flores se toman contra las afecciones respiratorias y la bronquitis. Los incas hacían fuego del *llaulli* y echaban en él aves de varias especies. Con este ritual disminuían las fuerzas de sus enemigos.

STAMM Made in Switzerland
1 2 3 4 5 6 7 8 9 10

LUCUMA *(Pouteria lucuma)*

A tree that grows up to 50 feet, it can be found from Ecuador to Chile between 2,300 and 9,850 feet and its delicious fruit is eaten alone and in desserts: Lucuma ice cream is popular throughout Peru. In pre-Inca times this fruit was cultivated on the coast and it was fairly common in the Urubamba Valley during the Inca period.

Árbol hasta de 15 m de alto. Crece desde Ecuador hasta Chile entre los 700 y 3000 msnm. Su sabroso fruto se consume al natural y en repostería. Los helados de lúcuma se encuentran en todas las ciudades del Perú. El hombre peruano lo ha cultivado en la costa desde tiempos preincaicos. Era común en el valle del Urubamba en la época de los incas.

Made in Switzerland

MAGUEY *(Agave americana / Furcraea andina)*

Furcraea andina

A succulent plant 3.3 to 5 feet high (up to 20 feet including its inflorescences), It grows on dry mountainsides. From the leaf fibers the Incas made ropes and wove suspension bridges and sandals. It also provides other products, such as soap, soft drinks and fermented beverages and also has medicinal properties. It forms impenetrable hedgerows. (The *Furcraea andina* is green; the *Agave americana* is bluish and is a native of Central America)

Planta suculenta de 1 a 1.5 m (hasta 6 m con su inflorescencia). Crece en las laderas secas. Con las fibras de las hojas los incas fabricaban sogas y tejían puentes colgantes y sandalias. Brinda otros productos como jabón y bebidas refrescantes y fermentadas. Se le atribuyen varias propiedades medicinales. Forma cercos vivos impenetrables. (*Furcraea andina* es verde; *Agave americana* es azulado y nativo de Centroamérica)

Furcraea andina

Agave americana

MAQUI MAQUI *(Oreopanax ischnolobus)*

A tree that grows from 16 to 26 feet and resembles a palm, it grows near water courses and is present in the Cusichaca ravine (on the Inca Trail) between 9,200 and 11,500 feet. Its large leaves, which resemble a hand, and the large flowers that crown the tips of the branches, make it a promising ornamental plant. *Maqui* means "hand" in Quechua.

Árbol de 5 a 8 m de alto semejante a una palmera. Crece cerca de los cursos de agua. En la quebrada Cusichaca (Camino Inca) aparece entre los 2800 y 3500 msnm. Sus grandes hojas que semejan una mano y la gran inflorescencia que corona la punta de las ramas hacen de esta planta promisoria como ornamental. *Maqui* significa "mano" en idioma quechua.

STAMM Made in Switzerland
1 2 3 4 5 6 7 8 9 10

MARCO *(Ambrosia arborescens)*

A bush 3.3 to 5 feet high, it is common on the coast and in the highlands to 11,800 feet. It grows next to the walls of houses and on roadsides. In local medicine it is used to relieve rheumatism and muscular pain. It is used as firewood, forage for livestock and pesticide for crops. The Incas used the juice of this plant to mummify the dead.

Arbusto de 1 a 1.5 m de alto, común en la costa y la sierra hasta los 3600 msnm. Crece adyacente a los muros de las viviendas y al lado de los caminos. En la medicina popular, alivia el reumatismo y los dolores musculares. Se usa como leña, forraje para el ganado y plaguicida en los campos de cultivo. Los incas usaron el zumo de esta planta para conservar los cadáveres.

1 2 3 4 5 6 7 8 9 10

MAYU MANZANA *(Hesperomeles lanuginosa)*

A bush or tree that grows up to 26 feet high, it is found in the Andes from Colombia to Peru between 7,550 and 12,150 feet. Its wood is hard and enduring and its fruits resemble small apples. It is an endangered species and a few examples can be found in the Cusichaca ravine (on the Inca Trail) at around 10,800 feet.

Arbusto o árbol de hasta 8 m de alto. Crece en los Andes desde Colombia hasta Perú entre los 2300 y 3700 msnm. Su madera es dura y resistente. Sus frutos parecen manzanas pequeñas. Esta planta está en vías de extinción. Hay algunos ejemplares en la quebrada Cusichaca (Camino Inca) alrededor de los 3300 msnm.

STAMM Made in Switzerland
1 2 3 4 5 6 7 8 9 10

MOCO MOCO *(Piper elongatum)*

Piperaceae

A bush or tree which grows up to 33 feet, it is native of highland forests and is found in the Cusichaca ravine (on the Inca Trail) up to 9,500 feet. Its leaves have balsamic and stimulant properties. It is used in the treatment of nasal congestion, ulcers, kidney problems and wounds on both people and animals. "Piperina" is extracted from the species of the *Piper* genus.

Arbusto o árbol de 10 m de altura. Propio de la selva alta, crece en la quebrada Cusichaca (Camino Inca) hasta los 2900 msnm. Sus hojas gozan de propiedades balsámicas y estimulantes. Cura afecciones de las mucosas, úlceras, males del riñón y heridas de seres humanos y animales. De las especies del género *Piper* se extrae la "piperina".

MOLLE *(Schinus molle)*

A tree from 16 to 26 feet high, it grows between 2,600 and 10,500 feet. It is beautiful enough to be used as an ornamental plant. Its wood is used in carpentry and its ashes are used as a tanning product. It is also used to make soap. Honey, vinegar, *chicha*, tincture and condiments can be made from its fruit. The oil extracted from the leaves is used in perfumes and in the toothpaste industry. The Incas cultivated *molle* around Cusco and used its resin to embalm mummies.

Árbol de 5 a 8 m de alto. Crece entre los 800 y 3200 msnm. Es bello como ornamental. Su madera se emplea en la carpintería. Su ceniza se aprovecha como curtiente y sirve para hacer jabón. Con sus frutos se elabora miel, vinagre, *chicha*, tinturas y condimentos. De las hojas se extrae un aceite empleado en la perfumería y la industria de dentífricos. Los incas plantaron *molles* alrededor del Cusco y usaron su resina para embalsamar sus momias.

1
2
3
4
5
6
7
8
9
10

MOTE MOTE *(Duranta armata)*

A thorny bush that grows from 3.3 to 6.5 feet, it grows in all the ravines adjacent to the Urubamba Valley between 8,550 and 12,500 feet. As with all thorny plants, peasants use it, either planted or just as dry branches, to protect their farmyards and crops against animals and intruders. It is also used as firewood.

Arbusto espinoso de 1 a 2 m de alto. Crece entre los 2600 y 3800 msnm en todas las quebradas colindantes al valle del Urubamba. Como toda planta espinosa, los campesinos la aprovechan, ya sea cultivada o por sus ramas secas, para proteger sus corrales y cultivos contra animales e intrusos. También se aprovecha como leña.

STAMM Made in Switzerland
1 2 3 4 5 6 7 8 9 10

MUTUY *(Senna birostris)*

A bush 3.3 to 6.5 feet high, it grows from Ecuador to Chile between 8,500 and 11,800 feet and is commonly seen along roadsides. The branches are used to make agricultural tools and baskets and a yellow dye is extracted from the roots. The leaves, when rubbed on the skin, cure herpes, erysipelas and other skin problems and the fruit is used as a laxative. Because of its flowers, we can consider it an ornamental plant.

Arbusto de 1 a 2 m de alto. Crece desde Ecuador hasta Chile entre los 2600 y 3600 msnm. Es común encontrarlo al borde de los caminos. Con sus ramas se confeccionan herramientas agrícolas y canastas. De la raíz se extrae tinte amarillo. Las hojas, frotadas sobre la piel, curan el herpes, la erisipela y otras enfermedades cutáneas. El fruto es usado como purgante. Por sus flores se le aprecia como ornamental.

STAMM Made in Switzerland
1 2 3 4 5 6 7 8 9 10

NISPERO *(Mespilus germanica)*

Rosaceae

A European tree that grows from 16 to 26 feet, it is cultivated throughout the Urubamba Valley and bears fruit from April to July. The orange-colored fruit enhances the beauty of the valley and is eaten on its own or used to prepare homemade foods and marmalades.

Árbol de origen europeo. Crece de 5 a 8 m de altura. Se cultiva en todo el valle del Urubamba. Fructifica de abril a julio, adornando el valle con el color naranja de sus frutos. Con sus frutos se preparan dulces caseros y mermeladas o se les come directamente de la planta.

NOGAL *(Juglans neotropica)*

Juglandaceae

A tree that grows from 50 to 65 feet, between 3,300 and 9,850 feet, its brownish-black wood is excellent for cabinet making and the manufacture of guitars. From the bark, leaves and fruit a brown and black dye can be extracted which is used for dying wool, and an infusion of the leaves produces a black hair dye. The seeds are edible.

Árbol de 15 a 20 m de alto. Crece entre los 1000 y 3000 msnm. Su madera, color pardo negruzco, es excelente para la ebanistería y para la fabricación de guitarras. De su corteza, hojas y frutos se extrae tintes negro y marrón para teñir la lana. La infusión de las hojas tiñe de negro el cabello. La semilla es comestible.

PALTO *(Persea americana)*

The avocado is a Central American tree that grows from 16 to 33 feet high, it inhabits the coast, tropical forests and part of the highlands up to 9,200 feet and has been cultivated on the Peruvian coast since Pre-Columbian times. The Incas discovered it after conquering the Palpa tribe, from which its name is derived. Its delicious fruit is sold in all the cities of Peru and it is exported to other countries.

El aguacate o palto es un árbol centroamericano de 5 a 10 m. Crece en la costa, la selva y en parte de la sierra hasta los 2800 msnm. Se cultiva en la costa peruana desde tiempos precolombinos. Los incas lo conocieron luego de conquistar la tribu de Palpa; de allí proviene su nombre. Su sabroso fruto se vende en todas las ciudades del Perú y se exporta a otros países.

PINO *(Pinus radiata)*

A North American tree 80 to 100 feet tall, it is cultivated up to 11,800 feet and is the most industrialized tree in the world: Its wood is used in building, cabinet making, paper manufacturing, etc. The Peruvian mountains abound in areas suitable for cultivating pine and forestry work could provide work for the country's rural inhabitants, although this industry in Peru has so far not been fully developed.

Árbol norteamericano de 25 a 30 m de alto. Se le planta hasta los 3600 msnm. Es el árbol más industrializado del mundo. Su madera se usa en la construcción, ebanistería, fabricación de papel, etc. La sierra peruana posee grandes extensiones aptas para el cultivo del pino. La actividad forestal daría empleo a la población campesina, pero en el Perú esta industria todavía no está desarrollada.

STAMM Made in Switzerland
1 2 3 4 5 6 7 8 9 10

PISONAY *(Erythrina falcata)*

A leafy tree up to 50 feet high, it grows from Cajamarca to Cusco between 4,250 and 11,150 feet. Its beautiful flowers mean it is cultivated in squares and avenues. There are beautiful examples of this species in Pisac, Calca, Yucay, Urubamba and other villages in the Sacred Valley. The *pisonay* is a native of the tropical forests and was introduced into the highlands by the Incas, who considered it sacred.

Árbol frondoso hasta de 15 m de alto. Crece entre los 1300 y 3400 msnm, desde Cajamarca hasta Cusco. Por sus bellas flores se cultiva en plazas y avenidas. Hay bellos ejemplares en Pisac, Calca, Yucay, Urubamba y otros pueblos. Originario de la selva alta, los incas aclimataron el *pisonay* a las zonas altas y lo consideraron sagrado.

PUCAÑAHUI *(Mauria ferruginea)*

A tree up to 26 feet high, it grows in the Cusichaca ravine (on the Inca Trail), between 8,550 and 10,500 feet and is found in bush form (6.5 to 10 feet high) because peasants cut the stems and branches to use them as building material or as firewood. Parrots and other birds eat its fruit.

Árbol de hasta 8 m de alto. Crece en la quebrada Cusichaca (Camino Inca) entre los 2600 y 3200 msnm. Allí se encuentra en forma de arbusto (de 2 o 3 m) debido a que los campesinos cortan sus tallos y ramas para usarlos en construcciones rústicas o como leña. Los loros y otras aves comen sus frutos.

1
2
3
4
5
6
7
8
9
10

QOTO QUISHUAR *(Gynoxys sp)*

A tree from 16 to 26 feet tall, it grows all over the Andes between 10,800 and 14,750 feet. In the Cusichaca ravine (on the Inca Trail) it occurs at 11,800 feet. It resembles the *quishuar* and the two are often confused. It is tolerant of very low temperatures, and in the highlands it is used in the hedges that surround houses and farmyards. Its wood is used to make tools and as firewood.

Árbol de 5 a 8 m de altura. Crece en todo los Andes entre los 3300 y 4500 msnm. En la quebrada Cusichaca (Camino Inca) aparece a los 3600 msnm. Se parece al *quishuar* y se suele confundirlo con éste. Es un árbol resistente al frío. En las alturas se cultiva para formar cercos vivos alrededor de casas y corrales y se aprovecha su madera para fabricar herramientas y como leña.

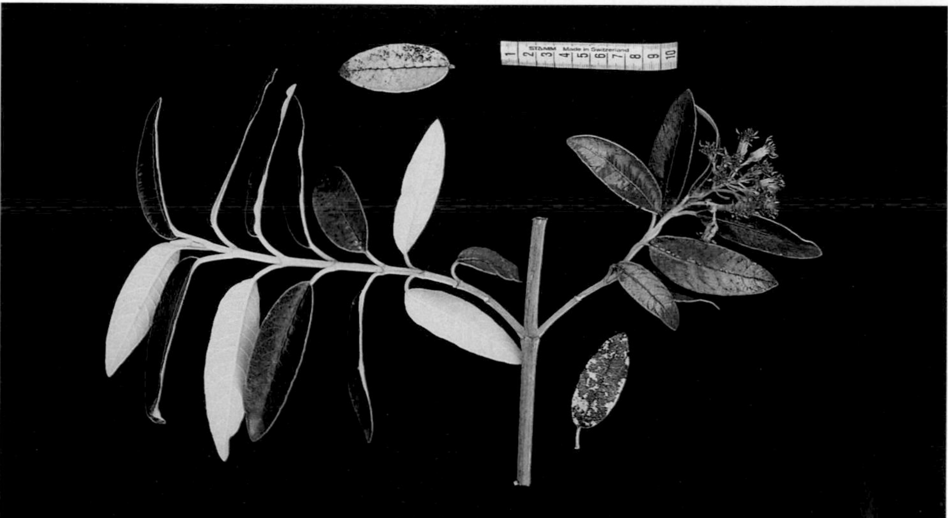

QUEUÑA *(Polylepis spp)*

A rustic tree from 13 to 40 feet high, it can be found in the Andes from 9,850 feet up to the snowline. Examples can be seen in the ravines of the Sacred Valley and in city squares. The Incas used to cultivate *queuñas* in the highlands, where it protects the people, their crops and animals from the cold, and provides them with firewood and wood for buildings. It has been felled in excess for centuries.

Árbol rústico de 4 a 12 m de altura. Crece en los Andes desde los 3000 msnm hasta el límite de las nieves perpetuas. Se encuentra en las quebradas del valle del Urubamba y en las plazas de las ciudades. Los incas plantaron *queuñas* en las alturas. Allí protege del frío al hombre, sus cultivos y animales y le provee de leña y madera para construcciones. Ha sido depredado durante siglos.

STAMM Made in Switzerland
1 2 3 4 5 6 7 8 9 10

QUISHUAR *(Buddleja longifolia)*

A tree from 19 to 46 feet high, it grows between 8,200 and 12,150 feet. The temple dedicated to the Inca Viracocha was named *Kiswarcancha* ("place of the *quishuar*"). Its wood was used to carve idols that were then incinerated during religious ceremonies. It has always been used for building roofs and making tools. It is found near houses and fields, where it is used as a hedge and as an agricultural terrace stabilizer.

Árbol de 6 a 14 m de alto. Crece entre los 2500 y 3700 msnm. El templo dedicado al Inca Viracocha se llamó *Kiswarcancha* ("recinto de *quishuar*"). Con la madera se tallaban ídolos que luego se incineraban en las ceremonias religiosas. Desde siempre se ha utilizado el *quishuar* en la construcción de techos y la elaboración de herramientas. Se encuentra cerca de las casas y campos de cultivo donde se planta como cerco vivo y como estabilizador de terrazas (andenes).

RATA RATA *(Abutilon sylvaticum)*

A bush that reaches from 6.5 to 10 feet in height and is found between 8,550 and 10,500 feet, it grows near the village of Huayllabamba (at 9,500 feet) in the Cusichaca ravine (on the Inca Trail). Its beautiful flowers mean that it is grown as an ornamental plant in the city squares and gardens of Cusco.

Arbusto de 2 a 3 m de alto. Crece entre los 2600 y 3200 msnm. En la quebrada Cusichaca (Camino Inca) aparece cerca del pueblo de Huayllabamba (2900 msnm). Por sus bellas flores se cultiva como ornamental en las plazas y los jardines de la ciudad del Cusco.

RETAMA *(Sparteum junceum)*

A Mediterranean bush from 3.3 to 10 feet high, it grows between sea level and 12,150 feet and is cultivated in city squares and gardens. It has long been common in fields, on mountainsides and along roadsides, but is now disappearing. Brooms are made from its foliage and it is used as feed for livestock. It has several medicinal properties and the roots are used as contraceptives.

Arbusto oriundo del mediterráneo de 1 a 3 m de altura. Crece del nivel del mar hasta los 3700 msnm. Se cultiva en los parques y jardines de las ciudades. Abundaba en los campos, laderas y al borde de los caminos pero está desapareciendo. De su follaje se fabrican escobas. Lo come el ganado. Se le atribuyen varias propiedades medicinales. Se dice que las raíces se usan como anticonceptivos.

STAMM Made in Switzerland

ROQUE *(Colletia spinosissima)*

A bush 3.3 to 6.5 feet high, very thorny and leafless, it grows between 6,560 and 13,120 feet on arid, degraded slopes. It forms impenetrable fences. The bark and branches are used to make soap for washing clothes, the new shoots are used as shampoo and the ground thorns are mixed with plaster to whitewash the walls of houses. The wood burns even when fresh and when used in a clay oven it gives a unique taste to bread. The wood is also used to make agricultural tools.

Arbusto de 1 a 2 m de alto, muy espinoso y sin hojas. Crece de 2000 a 4000 msnm en las laderas áridas y degradadas. Forma cercos impenetrables. La corteza y las ramas sirven como jabón para lavar ropa. Los brotes tiernos se usan como "shampoo". Las espinas, molidas y mezcladas con yeso, se usan para empastar las paredes de las casas. La leña arde aún fresca y, en el horno, da buen gusto al pan. Con la madera se fabrican herramientas agrícolas.

1
2
3
4
5
6
7
8
9
10
STAMM Made in Switzerland

SAUCE *(Salix humboldtiana)*

Salicaceae

A tree 50 feet high, it grows at the edge of water courses from Mexico to Argentina, between 300 and 9,850 feet. The Incas cultivated *sauces* to provide themselves with wicker to weave baskets and ropes to build suspension bridges. It contains "salicin", an analgesic substance, and it is a flu remedy, a treatment for diarrhea and anti-inflammatory. Its white wood is used for making doors, windows and fruit crates.

Árbol de hasta 15 m de altura. Crece al borde de los cursos de agua, desde México hasta Argentina, entre los 100 a 3000 msnm. Los incas plantaron sauces para proveerse de mimbre para construir puentes colgantes y fabricar sogas y canastas. Contiene "salicina", una sustancia analgésica. Es antigripal, antidiarreico y anti-inflamatorio. Con su madera blanca se fabrican puertas, ventanas y cajas para fruta.

SAUCO *(Sambucus peruviana)*

A tree 40 feet high, it grows in all parts of Peru between 6,550 and 11,500 feet. It is cultivated around houses and family gardens. Marmalade and sweets are prepared with the fruit (from January to March). The leaves act as an insect repellent and its resistant wood is used for building, cabinet making, for hanging bells in churches, as well as for making flutes. It also has several medicinal properties.

Árbol de hasta 12 m de altura. Crece en todo el Perú de los 2000 a 3500 msnm. Se encuentra cultivado en casas y huertos familiares. Con los frutos (enero a marzo) se preparan dulces y mermeladas. Las hojas son repelentes para insectos. Su madera, muy durable, se usa en construcciones, ebanistería, para colgar las campanas en las iglesias y para fabricar *quenas* (flautas andinas). Se le atribuyen varios usos medicinales.

SUPAICARCO *(Nicotiana glauca)*

A rustic bush that grows from 6.5 to 13 feet at altitudes ranging from 9,200 to 10,500 feet, it can be found along roadsides in the Urubamba Valley. It is not abundant. The entire plant has narcotic, hallucinogenic and poisonous properties and shepherds do not like it because it kills their animals when they eat it. However, some species of hummingbirds (*oreonynpha nobilis* and others) suck its flowers. The leaves are used to prepare acaricides.

Arbusto rústico de 2 a 4 m de alto. Crece entre los 2800 y 3200 msnm. Se encuentra en el valle del Urubamba al borde de la carretera. No es abundante. Toda la planta posee propiedades narcóticas, alucinógenas y venenosas. Los pastores lo desprecian porque mata el ganado si éste lo come. Sin embargo, algunas especies de colibríes (*oreonynpha nobilis* y otros) chupan sus flores. Con las hojas se preparan acaricidas.

STAMM Made in Switzerland
1 2 3 4 5 6 7 8 9 10

TARA *(Caesalpinia spinosa)*

A thorny tree from 6.5 to 13 feet high, it grows all over Peru between 4,900 and 10,150 feet on dry mountainsides. It flowers from November to February and is fruitful throughout the year. The fruits contain tannin, which is used throughout the world for tanning leather. It is also used to relieve throat ailments.

Árbol espinoso de 2 a 4 m de alto. Crece en todo el Perú entre los 1500 y 3100 msnm en las laderas áridas. Florece de noviembre a febrero y da fruto todo el año. Los frutos contienen tanino, usado en todo el mundo para el curtido de cueros. También se usa para aliviar malestares de la garganta.

TASTA *(Escallonia myrtilloides)*

A tree up to 26 feet tall, it grows from Venezuela to Bolivia from 11,150 to 13,100 feet and is common in the ravines adjacent to the Sacred Valley. Its wood is used in construction, the making of agricultural tools and as firewood. It is also used as a topsoil stabilizer on slopes and to protect crops.

Árbol hasta de 8 m de alto. Crece desde Venezuela hasta Bolivia entre los 3400 y 4000 msnm. Es común en las quebradas del Valle Sagrado. Su madera es buena para la construcción, fabricación de herramientas agrícolas y como leña. También es útil como estabilizador de suelos en las laderas y en la protección de los cultivos.

TUNA *(Opuntia ficus-indica)*

A cactus 5 feet tall or more, it grows in dry zones from North America to Bolivia between sea level and 9,850 feet and is cultivated in order to obtain carmine, a natural red colorant used in food and the pharmaceutical and cosmetics industries (in lipstick). Carmine is obtained from the cochineal beetle, which lives on this cactus. The fruit is delicious and is sold in all Peruvian cities.

Cactus de 1.5 m de altura o más. Crece en zonas áridas desde Norteamérica hasta Bolivia, entre el nivel del mar y los 3000 msnm. Se cultiva para la obtención del carmín, colorante natural rojo usado en la industria alimenticia, farmacéutica, y cosmética (lápiz labial). El carmín se extrae de la *cochinilla*, insecto que vive en la tuna. Sus frutos, muy sabrosos, se venden en todas las ciudades.

UNCA *(Myrcianthes oreophyla)*

Myrtaceae

A tree that grows up to 50 feet high, it can be found throughout the ravines adjacent to the Urubamba Valley between 9,200 and 11,800 feet. Its white and heavy wood is used in woodcraft and cabinet making. The Incas made their *keros*, or ceremonial vases, from this wood. It is an excellent ornamental tree and also provides good shade. It is considered a diuretic and is said to be effective in the dissolving of kidney stones.

Árbol de hasta 15 m de alto. Crece en todas las quebradas del valle del Urubamba entre los 2800 y 3600 msnm. Su madera, blanca y pesada, es apreciada en la ebanistería. Los incas fabricaron los *keros* (vasos ceremoniales) de esta madera. Excelente árbol ornamental y de sombra. Es considera una planta diurética capaz de deshacer las piedras del riñón.

BIBLIOGRAPHY • BIBLIOGRAFIA

ANSIÓN, JUAN. (1986). El árbol y el bosque en la sociedad andina. Proy. FAO/Holanda/INFOR. Lima.

BERMEJO, J; PASETTI, F. (1985). *El árbol en apoyo de la agricultura*, documento #4. Proy. FAO/ Holanda/ INFOR. Lima.

CANNON, PHILIP G. (1987). *Hacia una reforestación racional en el Cusco*. Proy. FAO/Holanda/INFOR. Lima.

ELORRIETA, FERNANDO; ELORRIETA, EDGAR. (1992). *La gran pirámide de Pacaritanpu (entes y campos de poder en los Andes)*. Cusco.

GADE, DANIEL W. (1975). Plants, Man and the Land in the Vilcanota Valley of Peru. *Biogeographica*, Vol. 6. The Hague.

GUERRERO, A; PAZ SOLDAN, R. (1994). *Principales especies forestales de la sierra*. Universidad de Cajamarca.

HERRERA, FORTUNATO L. (1921). *Contribución a la flora del departamento del Cusco*. Universidad del Cusco.

HERRERA, FORTUNATO L. (1938). Plantas que curan y plantas que matan de la flora del Cusco. *Revista Universitaria*, Vol. 27, # 75. Universidad del Cusco.

HERRERA, FORTUNATO L. (1941). *Sinopsis de la flora del Cusco*. Cusco.

HOOKER, ROBERTO. (1987). *Especies forestales nativas para los programas de reforestación*. Proy. FAO/Holanda/INFOR. Lima.

LORENA, ANTONIO. (1924). La inmigración de los vegetales en la sección occidental del Cusco. *Revista Universitaria # 44 - 45*, Vol. 13. Cusco.

PRETELL, JOSÉ.; *et al.* (1985). *Apuntes sobre algunas especies forestales nativas de la sierra peruana*. Proy. FAO/Holanda/INFOR. Lima.

PULGAR VIDAL, JAVIER. (1996). *Geografía del Perú*. Editorial PEISA. Lima.

PULGAR VIDAL, JAVIER. (1985). *Zonas agroecológicas de la sierra y sus posibilidades de desarrollo (primeras jornadas agroforestales en la sierra peruana)*. Tarma.

REYNEL, C; LEÓN, J. (1990). *Árboles y arbustos andinos para agroforestería y conservación de suelos*. FAO/DGFF. Lima.

REYNEL, C; MORALES, F. (1987). *Agroforestería tradicional en los Andes del Perú*. Proy. FAO/Holanda/INFOR. Lima.

SALDIVAR ACUÑA, E. (1983). *Principales especies forestales nativas de la sierra del Cusco*. Cusco.

SHERBONDY, JEANETTE. (1986). *Mallki: Ancestros y cultivo de árboles en los Andes. Documento de trabajo # 5*. Proy. FAO/Holanda/INFOR. Lima.

SOCIEDAD PROTECTORA DE LA NATURALEZA-CUSCO. (1988). *Plaza de San Francisco. Jardín botánico de la flora nativa*. Catálogo. Cusco.

TORRES, HERMES.; *et al.* (1992). *Usos tradicionales de arbustos nativos en el sur de Puno*. Proyecto árbol andino.

TUPAYACHI, ALFREDO. (1993). Forestales nativos andinos en frutos. UNSAAC. Cusco.

VENERO, JOSÉ LUIS; et al (1986). Prácticas agroforestales en la serranía del Cusco. *Boletín de Lima* # 43. Lima.

VENERO, JOSÉ LUIS. (1987). *Relación ecológica de la foresta nativa con la fauna*. Proy. FAO/Holanda/INFOR. Lima.

Gino Cassinelli is a forestry engineer from Peru's National Agrarian University at La Molina, Lima and has pursued studies in mining and the environment at Lima's National Engineering University. In 1996 he started taking photographs of the vegetation in the Cusco area with the aim of producing nature field guides for tourists. His other publications are: "Birds of Machu Picchu" and "Flowers of Machu Picchu"

Gino Cassinelli es ingeniero forestal peruano egresado de la Universidad Nacional Agraria de La Molina, Lima, y ha seguido cursos de minería y medio ambiente en la Universidad Nacional de Ingeniería de Lima. En 1996 comenzó a fotografiar la vegetación del Cusco, con el fin de producir guías de campo para los turistas.